文法トレーニング篇

チェック！

https://hirogaru.net/

1 第1課：基本文型〔肯定・否定・疑問〕

(1) 基本文1〔肯定形〕

<主題>+<述語>。　1) 我去。　Wǒ qù .

(2) 基本文2〔否定形〕

<主題>+不+<述語>。　2) 我不去。　Wǒ bú qù .

<主題>+没+<述語>。　3) 我没去。　Wǒ méi qù .

(3) 基本文3〔疑問形〕

①"吗"型

A ＋ 吗 ？　4) 你去吗?　Nǐ qù ma ?

②反復型

A ＋ Aの否定形 ？　5) 你去不去?　Nǐ qù bu qù ?

③選択型

A ＋ 还是 ＋ B ？　6) 你去还是他去?　Nǐ qù háishi tā qù ?

④疑問詞型

什么 / 为什么 / 什么时候　7) 什么意思?　Shénme yìsi ?

怎么 / 怎么样　8) 怎么去?　Zěnme qù ?

谁　9) 谁去?　Shéi qù ?

多少 / 多　10) 多少钱?　Duōshao qián ?

几　11) 要几个?　Yào jǐ ge ?

哪　12) 要哪个?　Yào nǎge ?

哪儿 / 哪里　13) 去哪里?　Qù nǎli ?

I、日本語に訳してみよう。

①你来吗？　　Nǐ lái ma?

②他来不来？　　Tā lái bu lái?

③你来还是她来？　　Nǐ lái háishi tā lái?

④什么事?　　Shénme shì?

⑤谁来?　　Shéi lái?

⑥要多少?　　Yào duōshao?

⑦几个人?　　Jǐ ge rén?

⑧去哪儿?　　Qù nǎr?

⑨我还没吃饭。　　Wǒ hái méi chīfàn.

⑩你为什么不去?　　Nǐ wèi shénme bú qù?

II、( )に適当な簡体字を入れ、中国語を完成させよう。
また、全文をピンインで書いてみよう。

①私はご飯を食べる。
我（　　　）饭。

②私たちはご飯を食べない。
我们（　　　）吃饭。

③妹はご飯をまだ食べない。
我妹妹（　　　）吃饭。

④あなたはご飯を食べますか。
你吃饭（　　　）?

⑤あなたはご飯を食べないのですか。
你（　　　）吃饭（　　　）?

⑥あなたはご飯を食べますか。（反復型の疑問形で）
你吃（　　　）饭？

⑦あなたはライスを食べますか、それともパンを食べますか。
你吃米饭，(　　　）吃面包？

⑧あなたは何を食べますか。
你吃（　　　）?

⑨誰がご飯を食べますか。
（　　　）吃饭？

⑩あなたはどうしてご飯を食べないのですか。
你（　　　）吃饭？

Ⅲ、日本語を参考に、｛ ｝内の語句を並び替えて中国語を完成させよう。
なお、適当な句読点を補おう。

①彼女は行きますか。
｛ 吗　她　去 ｝

②彼らは本を読まない。
｛ 不　他们　看　书 ｝

③あなたはライスを食べますか。
｛ 米饭　吗　你　吃 ｝

④彼は薬を飲みますか。
｛ 吃　吃　不　药　他 ｝

⑤彼女は中国人ですか、それとも日本人ですか。
｛ 是　中国人　她　日本人　还是 ｝

⑥誰が中国に行きますか。
｛ 去　中国　谁 ｝

⑦彼女はいつアメリカに行きますか。
｛ 去　美国　她　什么时候 ｝

⑧この辞書はいくらですか。
｛ 钱　这　词典　本　多少 ｝

⑨あなたはいくつほしいですか。
｛ 几　你　要　个 ｝

⑩あなたはなぜその本を買うのですか。
｛ 买　为什么　本　书　你　那 ｝

IV、{ } 内の与えられた単語を使って中国語に訳してみよう。

①あなたのお姉さんは中国語を勉強していますか。
{ 姐姐 学习 汉语 }

②私の母はふだん自転車に乗らない。
{ 自行车 平时 骑 }

③あなたはコーヒーを飲むのが好きですか、それとも紅茶を飲むのが好きですか。
{ 咖啡 红茶 还是 }

④彼女はチョコレートを食べるのが好きですか。
{ 她 爱吃 巧克力 }

⑤今年は誰が中国に留学しますか。
{ 谁 去 留学 }

⑥あなたは明日どこへ行きますか。
{ 明天 什么地方 }

⑦彼女はいつアメリカに旅行に行きますか。
{ 什么时候 美国 旅游 }

⑧あなたはなぜお酒を飲むのですか。
{ 酒 为什么 }

⑨あなたの妹は日本のどちらの方ですか。
{ 哪儿人 日本的 }

⑩あなたはどんな料理を注文しますか。
{ 点 菜 什么 }

V、中国語に訳してみよう。

①あなたのお父さんは今日の午後亜細亜銀行に行きますか。

②彼女の友だちはふだん本を読みますか。

③あなたはなぜチョコレートが嫌いなのですか。

④私はコーヒーを飲むのが好きです。紅茶は好きではありません。

⑤あなたはチョコレートが好きですか。（反復型の疑問形で）

⑥あなたはふだん薬を飲んでいますか。

⑦彼はアメリカの留学生ですか、それともイギリスの留学生ですか。

⑧来年は誰がアメリカに留学しますか。

⑨この野菜はどのように売っていますか。―500g あたり 3 元です。

⑩彼の妹はいつ中国に旅行に行きますか。

2 第2課：文型（1）―名詞述語（判断詞“是”）

（1）判断詞“是 shì”は ＝（イコール）

① A 是 B。 （AはBです。）（A＝B）

1) 我是大学生。 Wǒ shì dàxuéshēng .

② A 不是 B。 （AはBではない。） A≠B

2) 我不是大学生。 Wǒ bú shì dàxuéshēng .

③ A 是 B 吗? （AはBですか。）

3) 你是大学生吗? Nǐ shì dàxuéshēng ma ?

④ A 是不是 B? （AはBですか。）

4) 你是不是大学生? Nǐ shì bu shì dàxuéshēng ?

⑤ A 也是 B。 （AもBです。）

5) 我也是大学生。 Wǒ yě shì dàxuéshēng .

⑥ A 都是 B。 （AはみなBです。）

6) 我们都是大学生。 Wǒmen dōu shì dàxuéshēng .

⑦ A 不都是 B。 （AはみなBというわけではありません。）

7) 我们不都是大学生。Wǒmen bù dōu shì dàxuéshēng .

⑧ A 都不是 B。 （AはみなBではありません。）

8) 我们都不是大学生。Wǒmen dōu bú shì dàxuéshēng .

I、日本語に訳してみよう。

①我是学生。 Wǒ shì xuésheng .

②她是日本人。 Tā shì Rìběnrén .

③他不是中国人。 Tā bú shì Zhōngguórén .

④我们都是日本人。 Wǒmen dōu shì Rìběnrén .

⑤你是谁? Nǐ shì shéi ?

⑥那是什么? Nà shì shénme ?

⑦这个是我的。 Zhège shì wǒ de .

⑧那个也是我的。 Nàge yě shì wǒ de .

⑨那些不都是我的。 Nàxiē bù dōu shì wǒ de .

⑩那些都不是我的。 Nàxiē dōu bú shì wǒ de .

Ⅱ、（　）に適当な簡体字を入れ、中国語を完成させよう。
また、全文をピンインで書いてみよう。

①彼女は大学生です。
她（　　　）大学生。

②あなたは中国人です。
你（　　　）中国人。

③はい、私は中国人です。
（　　　），我（　　　）中国人。

④いいえ、私は日本人です。
（　　　），我（　　　）日本人。

⑤これは何ですか。
这（　　　）什么？

⑥それは彼の机です。
那（　　　）他的桌子。

⑦これも私のではありません。
这个（　　　）我的。

⑧これらはみな彼のではありません。
这些（　　　　）他的。

⑨これはあなたがたの部屋です。
这（　　　）你们的房间。

⑩私たちはみな日本人というわけではありません。
我们（　　　　）日本人。

III、日本語を参考に、｛ ｝内の語句を並び替えて中国語を完成させよう。
なお、適当な句読点を補おう。

①私の母は中国人です。
｛ 妈妈 中国人 我 是 ｝

②あなたは中国人ですか。
｛ 吗 你 中国人 是 ｝

③いいえ、私はアメリカ人です。
｛ 是 不 美国人 我 ｝

④いいえ、私は日本人ではありません。
｛ 日本人 不 不 我 是 ｝

⑤あの人は誰ですか。
｛ 他 谁 是 ｝

⑥それは私の財布です。
｛ 的 那 钱包 是 我 ｝

⑦彼らもみな中国人ではありません。
｛ 不 他们 是 中国人 也 都 ｝

⑧それらは全て私のというわけではありません。
｛ 的 都 那些 我 是 不 ｝

⑨こちらはあなたがたの中国語の先生です。
｛ 汉语 你们 老师 的 这 是 ｝

⑩これはあなたの鍵ではありません。
｛ 你 是 这 钥匙 的 不 ｝

Ⅳ、｛ ｝内の与えられた単語を使って中国語に訳してみよう。

①私の妹は高校生です。
｛　高中生　｝

②彼はドイツ人ですか。
｛　德国人　｝

③彼女は日本人ではありません。
｛　日本人　｝

④彼らはみな大学生というわけではありません。
｛　都　大学生　｝

⑤この本はあなたのですか。
｛　这本书　｝

⑥彼は私の父です。
｛　父亲　｝

⑦彼らもみな留学生です。
｛　也　都　留学生　｝

⑧彼女も中国人ではありません。
｛　也　中国人　｝

⑨私の父は会社の社長です。
｛　公司　老板　｝

⑩私たちはみな学生ではありません。
｛　都　学生　｝

V、中国語に訳してみよう。

①私の兄は大学二年生の学生です。

②あなたはフランス人ですか。

③彼はアメリカ人ではありません。

④君たちはみなドイツ人ですか。

⑤これはあなたのペンですか。

⑥彼女は私の妹です。

⑦彼女たちはみなフランス人というわけではありません。

⑧私もドイツ人ではありません。

⑨母は中学校の先生です。

⑩彼女たちもみな学生ではありません。

3 第3課：文型（II）—動詞述語

（1）動詞を覚えよう

有 yǒu	=（～が）ある	1) 这儿有书。	Zhèr yǒu shū.
	（～を）持っている	2) 我有书。	Wǒ yǒu shū.
在 zài	=（～に）ある	3) 车在那儿。	Chē zài nàr.
	（～に）いる	4) 我在家。	Wǒ zài jiā.
来 lái	= 来る	5) 他来。	Tā lái.
去 qù	= 行く	6) 你去。	Nǐ qù.
吃 chī	= 食べる	7) 我吃饭。	Wǒ chī fàn.
喝 hē	= 飲む	8) 你喝茶。	Nǐ hē chá.
看 kàn	= 見る、読む	9) 爸爸看报。	Bàba kàn bào.
写 xiě	= 書く	10) 她写信。	Tā xiě xìn.
说 shuō	= 話す	11) 我说英语。	Wǒ shuō Yīngyǔ.
听 tīng	= 聞く	12) 妈妈听音乐。	Māma tīng yīnyuè.
唱 chàng	= 歌う	13) 我唱歌。	Wǒ chàng gē.
念 niàn	=（声に出して）読む	14) 他念课文。	Tā niàn kèwén.
学 xué	= 勉強する	15) 我学汉语。	Wǒ xué Hànyǔ.

Ⅰ、日本語に訳してみよう。

①我有一本书。 Wǒ yǒu yì běn shū .

②他在图书馆。 Tā zài túshūguǎn.

③他不来。 Tā bù lái.

④她还没去。 Tā hái méi qù .

⑤她们都看书。 Tāmen dōu kàn shū .

⑥我爷爷看报。 Wǒ yéye kàn bào .

⑦我哥哥唱卡拉ＯＫ。 Wǒ gēge chàng kǎlāOK .

⑧我爸爸不喝酒。 Wǒ bàba bù hē jiǔ .

⑨我姐姐学习汉语。 Wǒ jiějie xuéxí Hànyǔ .

⑩我妈妈说汉语。 Wǒ māma shuō Hànyǔ .

II、(　) に適当な簡体字を入れ、中国語を完成させよう。
また、全文をピンインで書いてみよう。

①私は辞書を持っている。
我 (　　　　) 词典。

②彼が来ます。
他 (　　　　)。

③あなたは行きますか。
你 (　　　　) 吗?

④あなたは飲みますか。
你 (　　　　) 不 (　　　　) ?

⑤彼女は音楽を聴く。
她 (　　　　) 音乐。

⑥父は新聞を読みません。
我爸爸 (　　　　) 报。

⑦妹は電話をします。
我妹妹 (　　　　) 电话。

⑧私たちは昼食を食べます。
我们 (　　　　) 午饭。

⑨私の弟は英語を勉強します。
我弟弟 (　　　　) 英语。

⑩私の妹は字を書きます。
我妹妹 (　　　　) 字。

III、日本語を参考に、{ } 内の語句を並び替えて中国語を完成させよう。
なお、適当な句読点を補おう。

①我が家には中日辞典が三冊ある。
{ 三 家 我 本 中日词典 有 }

②彼らは皆図書館で読書をしている。
{ 都 他们 看 书 图书馆 在 }

③彼らは今年留学に来ない。
{ 来 他们 留学 不 今年 }

④彼女のお母さんはまだ中国に行ったことがない。
{ 没 妈妈 去过 还 中国 她 }

⑤彼女たちは昨晩テレビを見なかった。
{ 没 晚上 看 电视 昨天 她们 }

⑥父と母はいっしょに雑誌を読む。
{ 我 一起 和 看 妈妈 爸爸 杂志 }

⑦あなたは今夜私に電話をかけますか。
{ 今天 你 我 给 晚上 电话 吗 打 }

⑧私の父は家にいない。アメリカに出張に行っている。
{ 我 家 不 在 美国 他 去 爸爸 出差 }

⑨私たちが学んでいる中国語は標準語です。
{ 汉语 的 普通话 学习 是 我们 }

⑩私の母は毎朝中国語を勉強します。
{ 每天 我 学习 汉语 妈妈 早上 }

IV、{ } 内の与えられた単語を使って中国語に訳してみよう。

①私は辞書を 5 冊持っている。
{ 词典 }

②あなたは明日朝8時に行きますか。
{ 去 吗 }

③彼女は日曜日の朝7時にテレビを見る。
{ 看电视 }

④あなたは毎晩お酒を飲みますか。
{ 喝不喝 酒 }

⑤妹は午後5時にあなたに電話をします。
{ 给你 打电话 }

⑥父は毎朝新聞を読みます。
{ 看报 }

⑦先生は今日の午後は家にいらっしゃいません。
{ 老师 不在 家 }

⑧彼女は来年 9 月にアメリカに留学します。
{ 去 美国 留学 }

⑨私たちは 12 時に昼食を食べます。
{ 吃 午饭 }

⑩彼は毎日 2 時間勉強します。
{ 学习 每天 }

V、中国語に訳してみよう。

①私は明日辞書を2冊買うつもりだ。

②彼のお母さんは来週木曜日に図書館へ行く。

③彼女のお父さんは来週木曜日の朝どこへ行きますか。

④彼のお姉さんは毎月 17 日にデパートへ行きます。

⑤彼女の弟は 12 月 25 日に映画を観に行きます。

⑥姉は毎週金曜日に買い物に出かけます。

⑦母の友だちは毎日母に電話をかけます。

⑧先生は毎週火曜日3限に授業があります。

⑨私の家では毎晩7時半に晩ご飯を食べます。

⑩私たちは毎晩1時間半韓国語を勉強しています。

4 第4課：文型（III）—形容詞述語

（1）形容詞を覚えよう

快 kuài	速い	难 nán	難しい
慢 màn	ゆっくりだ	简单 jiǎndān	簡単だ
早 zǎo	早い	容易 róngyì	たやすい
晚 wǎn	遅い	矮 ǎi	（背が）低い
大 dà	大きい	贵 guì	（値段が）高い
小 xiǎo	小さい	便宜 piányi	安い
新 xīn	新しい	忙 máng	忙しい
好 hǎo	よい	漂亮 piàoliang	きれいだ
热 rè	あつい	美丽 měilì	美しい
冷 lěng	寒い	可爱 kě'ài	かわいい
凉 liáng	冷たい	好吃 hǎochī	おいしい（食べ物）
高 gāo	高い	好喝 hǎohē	おいしい（飲み物）
低 dī	低い		

（2）形容詞の前で使われる程度を表す副詞

很＋＜形＞	～だ	1）很好。	Hěn hǎo.
非常＋＜形＞	非常に～だ	2）非常好。	Fēicháng hǎo .
特别＋＜形＞	とりわけ～だ	3）特别好。	Tèbié hǎo .
太＋＜形＞＋了	あまりに～だ	4）太好了。	Tài hǎo le .
不太＋＜形＞	あまり～でない	5）不太好。	Bú tài hǎo .
比较＋＜形＞	わりと～だ	6）比较好。	Bǐjiào hǎo .
A 比 B ＋＜形＞	A は B より～だ	7）这个比那个好。	Zhège bǐ nàge hǎo .
A 没有 B ＋＜形＞	A は B ほど～ない	8）这个没有那个好。	Zhège méiyou nàge hǎo .
A 比 B ＋＜形＞＋多了	A は B よりだいぶ～だ	9）这个比那个好多了。	Zhège bǐ nàge hǎo duō le .

I、日本語に訳してみよう。

①这个很大。 Zhège hěn dà.

②那个不小。 Nàge bù xiǎo.

③你的手机是新的吗? Nǐ de shǒujī shì xīn de ma?

④今天太热了。 Jīntiān tài rè le.

⑤这儿比较冷。 Zhèr bǐjiào lěng.

⑥这件衣服很贵。 Zhè jiàn yīfu hěn guì.

⑦那本书非常便宜。 Nà běn shū fēicháng piányi.

⑧她最近特别忙。 Tā zuìjìn tèbié máng.

⑨这个东西真可爱。 Zhège dōngxi zhēn kě'ài.

⑩日本酒非常好喝。 Rìběnjiǔ fēicháng hǎohē.

II、（ ）に適当な簡体字を入れ、中国語を完成させよう。
また、全文をピンインで書いてみよう。

①これらはみな小さい。
这些都（　　　　）小。

②あれらも大きくない。
那些也不（　　　　）。

③あなたの服は新しいものですか。
你的衣服是（　　　　）吗?

④今日は寒すぎる。
今天（　　　　）冷（　　　　）。

⑤ここは比較的暑い。
这儿（　　　　）热。

⑥この辞書は値段が高い。
这本词典很（　　　　）。

⑦あの店はとても安い。
那家店非常（　　　　）。

⑧あなたはいま忙しいですか。
你现在忙（　　　　）忙?

⑨彼の書く字はとてもきれいだ。
他写的字很（　　　　）。

⑩この子猫は本当にかわいい。
这只小猫真（　　　　）。

Ⅲ、日本語を参考に、｛ ｝内の語句を並び替えて中国語を完成させよう。
なお、適当な句読点を補おう。

①この子犬はかわいい。
｛ 可爱 很 这 小狗 条 ｝

②秋の景色はとても美しい。
｛ 风景 很 秋天 的 美 ｝

③この料理はとてもおいしい。
｛ 这个 很 好吃 菜 ｝

④この牛乳はおいしい。
｛ 牛奶 很 这 好喝 瓶 ｝

⑤今日はわりと暖かい。
｛ 暖和 今天 比较 ｝

⑥この服はとても安い。
｛ 非常 件 衣服 这 便宜 ｝

⑦あの本は値段が高すぎる。
｛ 贵 那 了 书 本 太 ｝

⑧彼も忙しい。
｛ 忙 他 很 也 ｝

⑨彼のお兄さんは背が高い。
｛ 高 他 个子 哥哥 很 ｝

⑩この料理はあまりおいしくない。
｛ 太 不 菜 好吃 这个 ｝

Ⅳ、{ } 内の与えられた単語を使って中国語に訳してみよう。

①このフランス料理はおいしい。
{ 法国料理 }

②このフランス料理はあまりおいしくない。
{ 不太 }

③このフランス料理はあの中華料理よりおいしい。
{ 比 法国料理 中国菜 }

④彼は今日の午後とても忙しい。
{ 今天 下午 忙 }

⑤あなたは昨日忙しかったですか。
{ 昨天 忙 }

⑥彼は明後日の夜は中国語を勉強するので、かなり忙しい。
{ 后天 晚上 要 }

⑦彼は背がとりわけ高い。
{ 高 }

⑧彼女はあなたほど背が高くない。
{ 没有 高 }

⑨彼女はあなたよりだいぶ背が低い。
{ 多了 矮 }

⑩彼のお兄さんは背がすごく高いわけではない。
{ 并不 那么 }

V、中国語に訳してみよう。

①彼女の作ったフランス料理はとりわけおいしい。

②私の作ったこのフランス料理はあまりおいしくない。

③彼が作った中華料理は私が作ったものよりずっとおいしい。

④あなたの作ったこの料理は味が本当にいいです。

⑤彼女はあまりうれしくないようだ。

⑥彼女はいつが最も忙しいですか。

⑦誰も彼より背が高い人はいない。

⑧私たちは毎日授業がたくさんあるので、かなり忙しい。

⑨彼女はあなたと同じくらいの背の高さだ。

⑩彼のお兄さんは背が高すぎる。

5 第5課：助動詞

(1) 基本的な助動詞

① 能　「(やれば)できる」(能力・都合)

1) 你能来吗？　　Nǐ néng lái ma?

② 会　「(うまく)できる」(技術・技能)

2) 你会不会开车？　　Nǐ huì bu huì kāichē?

③ 可以　「(許されて)できる」(許可)

3) 你可以参加。　　Nǐ kěyǐ cānjiā.

④ 要 ／ 想 ／ 想要　「〜したい」「〜するつもり」(意志)

4) 你要买什么？　　Nǐ yào mǎi shénme?

⑤ 要 ／ 得　「〜しなければならない」(必要・義務)

5) 你要好好儿学习。　　Nǐ yào hǎohāor xuéxí.

↔ 不用　「〜する必要はない」

6) 你不用参加。　　Nǐ búyòng cānjiā.

⑥ 应该　「〜すべきだ」「〜のはずだ」(当然)

7) 你应该参加。　　Nǐ yīnggāi cānjiā.

(2) 禁止を表す表現

⑦ 不要 ／ 别 ／ 不可以 ／ 不能　「〜するな」「〜してはいけない」(禁止)

8) 你不要喝酒。　　Nǐ bú yào hē jiǔ.
9) 别去买东西。　　Bié qù mǎi dōngxi.
10) 你不可以参加。　　Nǐ bù kěyǐ cānjiā.
11) 这儿不能打电话。　　Zhèr bù néng dǎ diànhuà.

I、日本語に訳してみよう。

①他今天不能去。	Tā jīntiān bù néng qù.
②她明天晚上不能来。	Tā míngtiān wǎnshang bù néng lái.
③我会弹钢琴。	Wǒ huì tán gāngqín.
④她会滑冰。	Tā huì huábīng.
⑤我会说中文。	Wǒ huì shuō Zhōngwén.
⑥你可以参观。	Nǐ kěyǐ cānguān.
⑦你不可以撒谎。	Nǐ bù kěyǐ sā huǎng.
⑧我要买邮票。	Wǒ yào mǎi yóupiào.
⑨我们想看京剧。	Wǒmen xiǎng kàn Jīngjù.
⑩我们应该认真学习。	Wǒmen yīnggāi rènzhēn xuéxí.
⑪你们要先做作业。	Nǐmen yào xiān zuò zuòyè.
⑫我们不想买邮票。	Wǒmen bù xiǎng mǎi yóupiào.
⑬你们不用买邮票。	Nǐmen búyòng mǎi yóupiào.
⑭你们不要买邮票。	Nǐmen bú yào mǎi yóupiào.
⑮别动！	Bié dòng!

II、（　）に｛　｝内から適当な語を選んで入れ、中国語を完成させよう。
また、全文をピンインで書いてみよう。

｛ 可以 要 能 会 应该 想 用 不可以 不要 不能 不会 不应该 不想 不用 ｝

①あなたは今晩来られますか。
你今天晚上（　　）来吗？

②あなたは車の運転ができますか。
你（　　）不（　　）开车？

③あなたは明日の会議に参加してもかまいません。
明天的会议你（　　）参加。

④あなたは何を買いたいですか。
你（　　）买什么？

⑤あなたは明後日の運動会は参加すべきです。
后天的运动会你（　　）参加。

⑥あなたは心配する必要はありません。
你（　　）担心。

⑦来年の短期留学にあなたがたは申し込むべきだ。
明年的短期留学你们（　　）报名。

⑧私はあんなに苦い薬を飲みたくない。
我（　　）吃那么苦的药。

⑨話をしないで、静かにしてください。
（　　）说话，保持安静！

⑩あなたは一人で行くべきではない。
你（　　）一个人去。

Ⅲ、日本語を参考に、{ } 内の語句を並び替えて中国語を完成させよう。
なお、適当な句読点を補おう。

①私は来週水曜日は用事があって行けません。
{ 我 下星期三 不能 有 事 去 }

②私は卓球ができます。
{ 我 打 会 乒乓球 }

③彼は自転車に乗ることができます。
{ 会 他 骑 自行车 }

④彼女はダンスをすることができます。
{ 她 跳舞 会 }

⑤あなたはスケートができますか。
{ 你 吗 会 滑冰 }

⑥ここでおしゃべりをしてはいけません。
{ 这儿 可以 不 说话 }

⑦私はご飯を食べたくない。
{ 我 想 吃 不 饭 }

⑧私は映画を見たくない。
{ 我 电影 看 不 想 }

⑨明日はそれほど暑くないはずだ。
{ 那么 明天 不 应该 热 }

⑩あなたはそんなに緊張しなくてもよい。
{ 你 那么 紧张 不用 }

IV、｛ ｝内の与えられた単語を使って中国語に訳してみよう。

①私は今週土曜日は行けません。
｛ 这个 星期六 去 ｝

②私はお酒が飲めません。
｛ 喝酒 ｝

③私たちはここで煙草を吸ってもいいですか。
｛ 这里 抽烟 ｝

④彼はあまり泳げません。
｛ 游泳 ｝

⑤あなたはスキーができますか。
｛ 滑雪 ｝

⑥あなたは中国語が話せますか。
｛ 说汉语 ｝

⑦ここで本を読んではいけません。
｛ 这儿 看书 ｝

⑧私はチョコレートを食べたい。
｛ 吃 巧克力 ｝

⑨私たちは一生懸命勉強するべきだ。
｛ 努力 学习 ｝

⑩みんなでそろって買い物に行く必要はない。
｛ 大家 去 买东西 ｝

Ⅴ、中国語に訳してみよう。

①私は今晩の会議に参加できません。

②彼女のお父さんはお酒に強い。

③私たちはここで卓球をしてもいいですか。

④彼は小さい頃から自転車に乗れません。

⑤彼女のお母さんは話しが上手です。

⑥私は全く踊れません。

⑦あなたは英語以外にどんな外国語が話せますか。

⑧私たちは今はあまりテレビを見たくない。

⑨明日は今日ほど暑くないはずだ。

⑩私は来年中国へ留学に行きたい。

6 第6課：前置詞

(1) 前置詞＋名詞→前置詞フレーズ：動詞の前に置く

〔肯定形〕 <主題>＋（<前置詞>＋<名詞>）＋<述語>。
〔否定形〕 <主題>＋ 不（<前置詞>＋<名詞>）＋<述語>。

(2) 基本的な前置詞

① “在”＋行われる場所・存在する場所 ＝「～で」
1）你在这儿等。 Nǐ zài zhèr děng .

② “从”＋始点・出発点 ＝「～から」
“从”＋開始時間 ＝「～から」
2）汉语课从九点开始。 Hànyǔ kè cóng jiǔ diǎn kāishǐ .

③ “到”＋終点・到着点 ＝「～まで、～へ」
“到”＋終了時間 ＝「～まで」
3）我们到公园去玩儿。 Wǒmen dào gōngyuán qù wánr .

④ “给”＋対象 ・ “对”＋対象 ＝「～に」
4）我给大家介绍一下。 Wǒ gěi dàjiā jièshào yíxià .

⑤ “往”＋方向 ・ “向”＋方向 ＝「～へ」
5）我们往南走。 Wǒmen wǎng nán zǒu .

⑥ “跟”＋対象 ・ “和”＋対象 ＝「～と」
6）老师跟她们一起去。 Lǎoshī gēn tāmen yìqǐ qù .

⑦ “用”＋手段・道具 ＝「～で」「～を使って」
7）你们用汉语说吧。 Nǐmen yòng Hànyǔ shuō ba .

(3) “把”構文

<主題>＋（“把”＋<目的語>）＋<述語>。 「～を（……する）」
8）我把作业做完了。 Wǒ bǎ zuòyè zuòwán le .

I、日本語に訳してみよう。

①我在大厅等你。　Wǒ zài dàtīng děng nǐ.

②她在商店买东西。　Tā zài shāngdiàn mǎi dōngxi.

③他从英国来。　Tā cóng Yīngguó lái.

④会议从九点开始。　Huìyì cóng jiǔ diǎn kāishǐ.

⑤我们到中国去旅行。　Wǒmen dào Zhōngguó qù lǚxíng.

⑥我从早到晚看电视。　Wǒ cóng zǎo dào wǎn kàn diànshì.

⑦他给我们介绍他自己的名字。　Tā gěi wǒmen jièshào tā zìjǐ de míngzi.

⑧她给我买一本书。　Tā gěi wǒ mǎi yì běn shū.

⑨咱们一起往右拐吧。　Zánmen yìqǐ wǎng yòu guǎi ba.

⑩请一直往前走。　Qǐng yìzhí wǎng qián zǒu.

⑪明天我跟他一起去。　Míngtiān wǒ gēn tā yìqǐ qù.

⑫我们跟他商量商量吧。　Wǒmen gen ta shāngliang shāngliang ba.

⑬他用圆珠笔写信。　Tā yòng yuánzhūbǐ xiě xìn.

⑭这个用汉语怎么说?　Zhège yòng Hànyǔ zěnme shuō ?

⑮你把钥匙给我。　Nǐ bǎ yàoshi gěi wǒ.

II、（ ）に適当な前置詞を入れ、中国語を完成させよう。
また、全文を日本語に訳し、ピンインで書いてみよう。

①あそこで左に曲がってください。
在那儿（　　　）左拐。

②私はここであなたを待っています。
我（　　　）这儿等你。

③彼女はアメリカで仕事をしています。
她（　　　）美国工作。

④彼は日本から来ます。
他（　　　）日本来。

⑤東京から北京まで、飛行機で３時間かかります。
（　　　）东京（　　　）北京，乘飞机需要三个小时。

⑥始めから終わりまで一回読んでください。
（　　　）头（　　　）尾读一遍。

⑦あなたに恋人を紹介します。
我（　　　）你介绍对象。

⑧私たちは彼とちょっと話し合いましょう。
我们（　　　）他聊聊吧。

⑨彼は日中辞典で単語を調べます。
他（　　　）日中词典查单词。

⑩早くドアを閉めてください。
快（　　　）门关上。

Ⅲ、日本語を参考に｛　｝内の語句に【　】内の適当な語を補って並び替えて中国語を完成させよう。なお、適当な句読点を補おう。

前置詞群【在　向　用　和　从　往　给　到　对　往　跟　把】

①彼らはレストランで晩ご飯を食べます。
｛　他们　餐厅　晚饭　吃　｝

②妹は図書館から帰ってきたばかりです。
｛　妹妹　图书馆　刚　我　回来　｝

③彼らは月曜日から金曜日まで毎日授業があります。
｛　他们　课　星期五　星期一　有　每天　都　｝

④私は今日からまじめに勉強をはじめる。
｛　今天　学习　认真　我　开始　｝

⑤あなたのお父さんによろしくお伝えください。
｛　请　你　问好　爸爸　｝

⑥その十字路を右へ曲がってください。
｛　在　右　那个　请　十字路口　拐　｝

⑦あなたは私といっしょに来てください。
｛　你　一起　来　我　｝

⑧彼は明日あなたに電話をかけます。
｛　打　他　电话　明天　你　｝

⑨父は私にノートパソコンを買ってくれると言っている。
｛　我　说　买　一台　爸爸　他　我　笔记本电脑　｝

⑩冷蔵庫にあるケーキを取り出す。
｛　拿　的　出来　蛋糕　冰箱　里　｝

Ⅳ、{ } 内の与えられた単語を使って中国語に訳してみよう。

①私は家で勉強します。
{ 家 学习 }

②私は明日上海から出発します。
{ 上海 出发 }

③あなたはどこに行くのですか。
{ 去 哪儿 }

④私は明日からお菓子を食べない。
{ 开始 零食 }

⑤私はあなたに手紙を書きます。
{ 写信 }

⑥私について読んでください。
{ 念 }

⑦南にまっすぐ進んでください。
{ 一直 }

⑧私は彼といっしょに映画を観に行く。
{ 一起 看电影 }

⑨スマートフォンアプリで中国語を勉強する。
{ 手机 APP 练习 }

⑩宿題を提出してください。
{ 交上来 }

V、中国語に訳してみよう。

①私は毎晩家で英語を2時間勉強します。

②彼女は北京から留学に来たのです。

③私たちはどこにランチを食べに行きましょうか。

④あなたの家から学校まで、徒歩ならどのくらいかかりますか。

⑤今夜私に電話をください。

⑥明日デパートに行って母に誕生日プレゼントを買う。

⑦この件は君とは関係ない。

⑧私は彼女といっしょに図書館で中国語を勉強する。

⑨この資料をパソコンでちょっと整理してください。

⑩昨日提出した宿題をみなさんにお返しします。

7 第7課：動詞の様相

（1）継続〔～している〕・進行〔～しながら〕　～着

動詞や形容詞のあとについて、動作や状態がつづいていることをあらわす。

1) 他正看着报呢。　　Tā zhèng kànzhe bào ne .
2) 站着说话。　　Zhànzhe shuōhuà .

（2）完了（変化）〔～して・～した〕　～了

動詞やフレーズのあとについて、動作・状態の完了または変化、気づきをあらわす。

3) 我吃了一碗拉面。　　Wǒ chī le yì wǎn lāmiàn .
4) 感冒已经好了。　　Gǎnmào yǐjing hǎo le .
5) 吃饭了。　　Chīfàn le .
6) 我下了课，就回家。　　Wǒ xià le kè, jiù huíjiā .

（3）経験〔～したことがある〕　～过

動詞や形容詞のあとについて、動作の経験や状態の存続をあらわす。

7) 我去过中国。　　Wǒ qùguo Zhōngguó .
8) 我还没去过。　　Wǒ hái méi qùguo .

I、日本語に訳してみよう。

①我正写着信呢。	Wǒ zhèng xiězhe xìn ne.
②外面下着大雨。	Wàimian xiàzhe dàyǔ.
③教室里的灯一直亮着。	Jiàoshìli de dēng yìzhí liàngzhe.
④我看了一部中国电影。	Wǒ kàn le yí bù Zhōngguó diànyǐng.
⑤昨天我下了班， 就回家了。	Zuótiān wǒ xià le bān, jiù huíjiā le.
⑥明天我下了班， 就给你打电话。	Míngtiān wǒ xià le bān, jiù gěi nǐ dǎ diànhuà.
⑦他们已经毕业了。	Tāmen yǐjing bìyè le.
⑧下雨了。	Xià yǔ le.
⑨我没去过中国。	Wǒ méi qùguo Zhōngguó.
⑩那部电影我还没看过。	Nà bù diànyǐng wǒ hái méi kànguo.

II、(　) に適当な語を入れ、中国語を完成させよう。
また、全文をピンインで書いてみよう。

①私はちょうど今歌を歌っています。
我正唱(　　) 歌呢。

②外は雷が鳴っている。
外面打(　　) 雷呢。

③私はずっと傘を携帯している。
我一直带(　　) 雨伞。

④私は中国語の歌を一曲聴いた。
我听(　　) 一首中文歌曲。

⑤昨日私はご飯を食べてすぐに寝た。
昨天我吃(　　) 饭，就睡觉(　　)。

⑥試験結果がわかったら、すぐにあなたに教えます。
我看(　　) 考试结果，就马上告诉你。

⑦私たちはすでに出発しました。
我们已经出发(　　)。

⑧8時です。
八点(　　)。

⑨私はアメリカに行ったことがある。
我去(　　) 美国。

⑩私はまだお寿司を食べたことがない。
我还没吃(　　) 寿司。

Ⅲ、日本語を参考に、{ } 内の語句を並び替えて中国語を完成させよう。
なお、適当な句読点を補おう。

①私はちょうどメールを書いているところです。
{ 伊妹儿 写 我 正 呢 着 }

②部屋のテレビがずっとついている。
{ 一直 电视 房间里 开着 的 }

③東京では大雪が降っているそうだ。
{ 着 听说 下 东京 大雪 }

④私は先ほどラーメンを一杯食べた。
{ 一碗 刚才 我 拉面 了 吃 }

⑤明日携帯電話を買ったら、あなたに電話番号を知らせます。
{ 买 就 了 明天 手机 电话 你 告诉 号码 }

⑥私は 100 万円貯金したら、世界旅行に行くつもりだ。
{ 我 周游世界 打算 就 一百万 存 日元 去 了 }

⑦もう12時だ。
{ 点 了 十二 已经 }

⑧雨が降ってきたようだ。
{ 雨 下 好像 了 }

⑨あなたはこの本を読んだことがありますか。
{ 过 这 看 你 书 吗 本 }

⑩私はまだ万里の長城に登ったことがない。
{ 爬 还 我 万里长城 没 过 }

Ⅳ、{ } 内の与えられた単語を使って中国語に訳してみよう。

①私はちょうど荷物を持っているところです。
{ 拿 行李 }

②外では大雪が降っている。
{ 外面 下 大雪 }

③トイレの電気がずっとついている。
{ 厕所里 灯 亮 }

④私は先ほど映画を一本観た。
{ 刚才 看 电影 }

⑤私は仕事が終わるとすぐに病院に行った。
{ 就 下班 去 }

⑥明日本を買ったら君に送る。
{ 买 就 寄给 }

⑦彼はもう大人になった。
{ 已经 长大 }

⑧もう子どもではないのだ。
{ 不是 小孩儿 }

⑨あなたはどんな髪型にトライしたことがありますか。
{ 试 什么样的 }

⑩私はまだ富士山に登ったことがない。
{ 还没 富士山 }

V、中国語に訳してみよう。

①母はちょうどご飯を作っているところです。

②窓が開いています。

③彼は寝転がってテレビを見るのが好きだ。

④私は中国語を一年勉強した。

⑤私たちは食事をしたら新宿に買い物に行きましょう。

⑥彼女は昨日私の書いた本を買った。

⑦今晩、仕事が終わったら、一杯飲みに行きましょう。

⑧明日のスキーは行かないことに決めた。

⑨あなたはどのような問題に遭遇したことがありますか。

⑩あなたの作った料理はまだ食べたことがありません。

8 第8課：補語 (I) —結果補語

(1) 基本的な結果補語

① ～懂 (dǒng) (～して) わかる

1) 我听懂了。 Wǒ tīngdǒng le .

② ～完 (wán) (～し) おわる

2) 作业做完了。 Zuòyè zuòwán le.

③ ～错 (cuò) (～し) まちがえる

3) 我说错了。 Wǒ shuōcuò le.

④ ～晚 (wǎn) (～して) おそくなる

4) 我来晚了。 Wǒ láiwǎn le.

⑤ ～到 (dào)… (～して…に) いたる

5) 我回到家了。 Wǒ huídào jiā le.

⑥ ～在 (zài)… (～して…に) ある／いる

6) 我住在东京。 Wǒ zhùzài Dōngjīng.

⑦ ～住 (zhù)… (～して…に) とどめる

7) 站住！ Zhànzhù !

⑧ ～给 (gěi)… (～して…に) あげる

8) 把钥匙交给你。 Bǎ yàoshi jiāogěi nǐ.

⑨ ～好 (hǎo) (～して) よくする (＝ちゃんと～する)

9) 我要学好汉语。 Wǒ yào xuéhǎo Hànyǔ.

⑩ ～见 (jiàn) (～して) 感じとる

10) 听见你在说话。 Tīngjiàn nǐ zài shuōhuà.

⑪ ～会 (huì) (～して) できる

11) 我要学会汉语。 Wǒ yào xuéhuì Hànyǔ.

Ⅰ、日本語に訳してみよう。

①看懂了。　Kàndǒng le.

②这本小说没看完。　Zhè běn xiǎoshuō méi kànwán .

③我看错了。　Wǒ kàncuò le .

④回到家了。　Huídào jiā le.

⑤买到这本书了。　Mǎidào zhè běn shū le.

⑥坐在椅子上。　Zuòzài yǐzishang .

⑦那封信我寄给你。　Nà fēng xìn wǒ jìgěi nǐ .

⑧我们吃好了。　Wǒmen chīhǎo le .

⑨我没有看见她。　Wǒ méiyou kànjiàn tā .

⑩她还没有学会英语呢。　Tā hái méiyou xuéhuì Yīngyǔ ne .

II、（　）に適当な結果補語を入れ、中国語を完成させよう。
また、全文をピンインで書いてみよう。

①彼はもう話し終えました。
他已经说（　　）了。

②この字は書き間違えています。
这个字写（　　）了。

③彼女は昨日遅刻してきた。
她昨天来（　　）了。

④彼からの電話を受けた。
接（　　）他的电话。

⑤荷物を車に置いておく。
行李放（　　）车上。

⑥これらの漢字はすべて覚えました。
这些汉字都记（　　）了。

⑦その本を私に貸してください。
那本书借（　　）我。

⑧服をちゃんと洗いましたか。
衣服洗（　　）了吗？

⑨あなたは今日彼女を見かけましたか。
你今天看（　　）她了吗？

⑩彼女は車の運転をマスターしましたか。
她学（　　）开汽车了吗？

Ⅲ、日本語を参考に、{ } 内の語句を並び替えて中国語を完成させよう。
なお、適当な句読点を補おう。

①先生の言った話は聞いてわかりませんでした。
{ 老师 没 听 懂 说 的 话 我 }

②あの手紙はもう書き終わりましたか。
{ 信 已经 写 了 完 那 封 吗 }

③山田君は今日も遅刻した。(遅刻した→来たのが遅かった)
{ 山田 今天 晚 了 又 来 }

④李先生にお会いできましたか。
{ 你 见 了 老师 吗 到 李 }

⑤彼は新宿に住んでいる。
{ 在 他 住 新宿 }

⑥この荷物をここにおいておきます。
{ 这 放 这儿 个 行李 在 }

⑦宿題をもうやり終えましたか。
{ 已经 做 了 作业 吗 好 }

⑧その自転車をちゃんとなおしましたか。
{ 那 了 自行车 修 吗 辆 好 }

⑨あなたは見えましたか。(見える→見て感じとる)
{ 你 见 了 吗 看 }

⑩私には聞こえませんでした。(聞こえる→聞いて感じとる)
{ 没 听 我 见 }

Ⅳ、｛ ｝内の与えられた単語を使って中国語に訳してみよう。

①彼の言ったことは全くわからなかった。
｛ 他说的 完全 话 ｝

②彼女の作った料理を食べ終えた。
｛ 她 菜 做的 ｝

③この本はもう読み終わりました。
｛ 书 这本 已经 ｝

④あの漢字は書き間違えています。
｛ 汉字 那个 ｝

⑤あなたは昨日遅刻し、今日も遅刻した。
｛ 昨天 今天 ｝

⑥昨日、木村先生を見かけましたか。
｛ 老师 昨天 木村 ｝

⑦田中さんはこの近くに住んでいる。
｛ 附近 这 ｝

⑧これをここに置いておいていいですか。
｛ 这个东西 这儿 可以 ｝

⑨これらの単語を私は全部覚えました。
｛ 单词 这些 ｝

⑩レポートをちゃんと書き終えましたか。
｛ 写 报告 ｝

V、中国語に訳してみよう。

①彼の書いた文章をあなたは理解できましたか。

②テーブルの上の料理をすべて食べ終えた。

③この本はまだ読み終えていません。

④この漢字をあなたは読み間違えています。

⑤あなたはなぜ毎日遅刻するのですか。

⑥昨日キャンパスで林先生を見かけませんでした。

⑦鈴木さんは両親といっしょに武蔵小金井駅の近くに住んでいる。

⑧車のカギをあなたはいったいどこに置いたの？

⑨中国語のテキストの本文を私は全部覚えました。

⑩私たちは必ず英語をマスターしなければならない。

9 第9課：補語（II）—方向補語

（1）基本的な方向補語

①動詞＋A（絶対的方向補語）

～上（shang）　～进（jin）　～回（hui）
～下（xia）　～出（chu）　～过（guo）　～起（qi）

搬上　坐下　走进　拿出　送回　跑过

②動詞（＋場所）＋B（相対的方向補語）
動詞（＋もの）＋B　／　動詞＋B（＋もの）

～来（lai）　～去（qu）

走来　跑来　上来　下来　进来　出来　起来
回去　拿去　上去　下去　进去　出去

③動詞＋A（＋場所）＋B
動詞＋A（＋もの）＋B　／　動詞＋A＋B（＋もの）

～上来　～进来　～下来　～出来　～回来　～过来　～起来
～上去　～进去　～下去　～出去　～回去　～过去

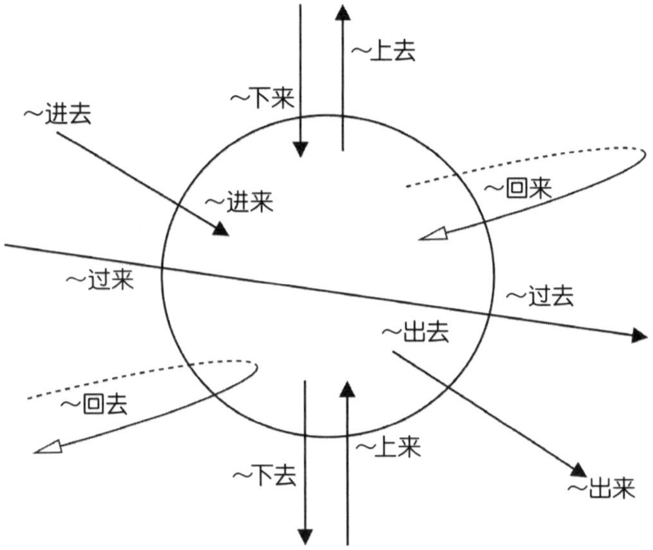

I、日本語に訳してみよう。

①请坐下。 Qǐng zuòxia.

②下雨了， 你们都进来吧。 Xià yǔ le, nǐmen dōu jìnlai ba.

③李老师不在家， 他出去了。 Lǐ lǎoshī bú zàijiā, tā chūqu le.

④老师在吗？—他回家去了。 Lǎoshī zài ma?—Tā huí jiā qu le.

⑤老师回中国去了吗？ Lǎoshī huí Zhōngguó qu le ma?

⑥他还没有回中国去。 Tā hái méiyou huí Zhōngguó qu.

⑦我带去了照相机。 Wǒ dàiqu le zhàoxiàngjī.

⑧他走过来了。 Tā zǒuguolai le.

⑨你们起来了吗？ Nǐmen qǐlai le ma?

⑩他突然站起来了。 Tā tūrán zhànqilai le.

II、（ ）に適当な方向補語を入れ、中国語を完成させよう。
また、全文をピンインで書いてみよう。

①佐藤さんが歩いてきた。
佐藤走（　　　　）了。

②鈴木さんが歩いて入っていった。
铃木走（　　　　）了。

③田中さんが歩いて上っていった。
田中走（　　　　）了。

④斎藤さんが家から歩いて出てきた。
斋藤从家里走（　　　　）了。

⑤斉藤さんが走って上っていった。
齐藤跑（　　　　）了。

⑥張さんが部屋に駆け込んできた。
小张跑（　　　　）房间里（　　　　）了。

⑦子猫が駆け寄ってきた。
小猫跑（　　　　）了。

⑧先生が廊下を行ったり来たりしている。
老师在走廊里走（　　　　）走（　　　　）。

⑨あれこれ考えたが、やはり一つ目のがよい。
想（　　　　）想（　　　　），还是第一个好。

⑩思い出した。
我想（　　　）了。

III、日本語を参考に、｛ ｝内の語句を並び替えて中国語を完成させよう。
なお、適当な句読点を補おう。

①彼が歩いて上ってきた。
｛ 他　了　上　来　走 ｝

②ネコが駆け込んでいった。
｛ 小猫　了　去　跑　进 ｝

③みんなは12時50分に教室に入ってきた。
｛ 教室里　了　大家　进　来　五十分　十二点 ｝

④先生は10時半に教室から出てきた。
｛ 了　老师　来　从　出　十点半　教室里 ｝

⑤先生は春節に中国に帰った。
｛ 老师　回　了　去　中国　春节 ｝

⑥私たちはみんな家に入ろう。
｛ 我们　吧　进　去　家里 ｝

⑦父は留守です。出かけました。
｛ 在　他　出　不　家　了　去　爸爸 ｝

⑧彼は海で泳ぎ回っている。
｛ 海里　来　在　去　他　游　游 ｝

⑨彼ら2人は口げんかをはじめた。
｛ 俩　吵　了　起来　他们 ｝

⑩コップをこちらへ持ってきてください。
｛ 杯子　拿　把　请　过来　你 ｝

Ⅳ、{ } 内の与えられた単語を使って中国語に訳してみよう。

①誰かが歩いておりてきた。
{ 有人 走 }

②小鳥が部屋に飛んで入ってきた。
{ 小鸟 飞 房间里 }

③先生は教室に入ってこない。
{ 老师 教室里 }

④彼は教室からイスを運び出してきた。
{ 椅子 教室里 }

⑤彼は家に帰ってこなかった。
{ 没有 家 }

⑥母は家にいます。出かけていません。
{ 家 没有 }

⑦自分の携帯電話を持ってこなかった。
{ 手机 带 }

⑧いろいろ見たが、気に入るものがない。
{ 没有 喜欢的 }

⑨車が目の前を通り過ぎていった。
{ 从 汽车 眼前 }

⑩子どもが急に泣きはじめた。
{ 哭 小孩 }

V、中国語に訳してみよう。

①山田さんが2階から歩いておりてきた。

②山田さんと李さんが一緒に歩いておりていった。

③張先生は大急ぎで教室から走って出ていった。

④王先生は教室の外で学生と話していて、まだ入ってこない。

⑤ママは今忙しいから、あなた自分で持っていきなさい。

⑥友達が私に北海道のお土産を買ってきてくれた。

⑦みんなにおいしいお菓子を持っていく。

⑧いろいろ選んで最も優秀な人を選び出した。

⑨そんなに狭い道を車が通り抜けられますか。

⑩最近彼女は急に忙しくなり始めた。

第10課：補語（III）—可能補語

（1）可能（～できる）

①V+得+結果補語
V+得+方向補語
听得懂　做得完　看得见　收得到　回得来　上得去

②～得下（～ dexià）	放得下	坐得下	停得下
～得了（～ deliǎo）	去得了	喝得了	用得了
～得动（～ dedòng）	拿得动	走得动	搬得动
～得到（～ dedào）	买得到	吃得到	办得到
～得起（～ deqǐ）	买得起	吃得起	对得起
～得住（～ dezhù）	记得住	靠得住	挺得住

（2）不可能（～できない）

① V ＋ 不 ＋ 結果補語
V ＋ 不 ＋ 方向補語
听不懂　做不完　看不见　收不到　回不来　上不去

②～不下（～ buxià）	住不下	站不下	装不下
～不了（～ buliǎo)	去不了	喝不了	拿不了
～不动（～ budòng)	跑不动	拿不动	搬不动
～不到（～ budào）	买不到	吃不到	办不到
～不起（～ buqǐ）	吃不起	买不起	对不起
～不住（～ buzhù）	抓不住	站不住	记不住

I、日本語に訳してみよう。

①英文小说你看得懂吗？
Yīngwén xiǎoshuō nǐ kàndedǒng ma?

②我看不懂。
Wǒ kànbudǒng.

③那些生词你明天记得住记不住？
Nàxiē shēngcí nǐ míngtiān jìdezhù jìbuzhù ?

④我想应该记得住。
Wǒ xiǎng yīnggāi jìdezhù.

⑤你们找得到李老师吗？
Nǐmen zhǎodedào Lǐ lǎoshī ma?

⑥我们找不到。
Wǒmen zhǎobudào.

⑦这些工作你一个人完成得了吗？
Zhèxiē gōngzuò nǐ yí ge rén wánchéngdeliǎo ma?

⑧我完成不了。
Wǒ wánchéngbuliǎo.

⑨行李这么大， 你拿得动吗？
Xíngli zhème dà, nǐ nádedòng ma?

⑩可以， 我拿得动。
Kěyǐ, wǒ nádedòng.

Ⅱ、(　) に適当な語を入れ、中国語を完成させよう。
また、全文をピンインで書いてみよう。

①中国語の小説は、私は読んで理解できます。
中文小说我看（　　　　）。

②あの何首かの詩は、あなたは明日までに全て覚えられますか。
那几首诗你明天都记（　　　　）吗？

③彼女たちは張社長がどこにいるかわからずにいる。
她们找（　　　　）张总。

④サーカスの舞台の上のオートバイは7人乗ることができる。
杂技舞台上的摩托车站（　　　　）七个人。

⑤こんな大きな荷物、あなたは持てますか。
这么大的行李你拿（　　　　）吗？

⑥フランス語の小説は、彼女は読んで理解できません。
法文小说她看（　　　　）。

⑦子どもたちの名前は、先生は一日二日では覚えられません。
小朋友们的名字老师一两天记（　　　　）。

⑧今日の午後、彼らは李先生に会えない。
今天下午他们见（　　　　）李老师。

⑨この大瓶のお酒は、私たちは飲みきれません。
这一大瓶酒我们喝（　　　　）。

⑩その何個かの荷物は、彼は一人で持てません。
那几个行李他一个人拿（　　　　）。

III、日本語を参考に、{ } 内の語句を並び替えて中国語を完成させよう。
なお、適当な句読点を補おう。

①先生のおっしゃった話はすべて聞いてわかりますか。
{ 老师 都 得 的 话 懂 听 说 你 吗 }

②中国語の新聞は読んで理解できない。
{ 中文 看 不 报 我 懂 }

③ このバスは何人乗れますか。
{ 这辆 坐 得 大巴 人 下 多少 }

④これらの荷物はあなた一人で運べますか。
{ 这些 动 你 一个人 搬 搬 得 不 行李 动 }

⑤こんなにたくさんの料理は食べられません。
{ 这么 菜 吃 不 我 多 了 }

⑥私は一生あなたを忘れられません。
{ 我 忘 你 一辈子 不 了 }

⑦この本はあまりに高くて買えません。
{ 这 太 买 不 本 贵 我 了 书 起 }

⑧終電にまだ間に合いますか。
{ 赶 上 吗 得 末班车 还 }

⑨本当に申し訳ございません。
{ 不 真 对 起 }

⑩わたしは明日行けなくなりました。
{ 了 去 我 明天 了 不 }

IV、{ }内の与えられた単語を使って中国語に訳してみよう。

①君の書いた文章は全く読んで理解できない。
{ 文章 完全 看 }

②彼女は日本語が聞いてわかる。
{ 听 日语 }

③この車は6人も乗れない。
{ 坐 车 }

④これらの荷物はあなた一人で持てますか。
{ 行李 拿 }

⑤こんなに重いミネラルウォーターは運べません。
{ 矿泉水 搬 }

⑥こんなにたくさんの料理は私一人では食べきれない。
{ 菜 吃 }

⑦この腕時計はあまりに高くて私は買えません。
{ 这块手表 贵 买 }

⑧映画の開始時間にまだ間に合いますか。
{ 电影 开始时间 }

⑨宿題が多すぎて終えられない。
{ 作业 完成 }

⑩彼は頼れる人ですか。
{ 一个 靠 人 }

V、中国語に訳してみよう。

①君の言った話は全く聞いて理解できない。

②彼女は英字新聞が読んでわかる。

③こんなに小さな車にそんな多くの人が乗れますか。

④これらの辞書は非常に重いです。あなた一人で持てますか。

⑤こんなにたくさんの荷物は私一人では運べません。

⑥彼女の作ったこれらの料理は私一人では絶対に食べきれない。

⑦この車はあまりに高くて私の今の給料では買えません。

⑧走れば、授業の開始時間にまだ間に合いますか。

⑨タクシーは 5 人乗ることはできません。

⑩今日の宿題は、この子は一人で完成させることができる。

11

第 11 課：相関表現

1）先～ , 然后～。（まず～、それから～）

先去吃饭，然后去看电影。　Xiān qù chīfàn, ránhòu qù kàn diànyǐng .

2）不但～ , 而且～。（～だけでなく、しかも～）

她不但漂亮，而且聪明。　Tā búdàn piàoliang, érqiě cōngming .

3）因为～ , 所以～。（～なので、だから～）

因为你去，所以我也去。　Yīnwèi nǐ qù, suǒyǐ wǒ yě qù .

4）虽然～ , 但是～。（～だけれども、しかし～）

虽然很贵，但是很好吃。　Suīrán hěn guì, dànshì hěn hǎochī .

5）要是～（的话）, 就～。／　如果～ (的话), 就～。（もし～なら、～だ）

要是不想去的话，就不要去了。　Yàoshi bù xiǎng qù dehuà, jiù bú yào qù le .

6）不是～ , 就是～。（～か、～かのどちらかだ）

不是你去，就是我去。　Bú shì nǐ qù, jiùshì wǒ qù .

7）一～ , 就～。（～すると、すぐに～）

一下课，就去吃饭。　Yí xià kè, jiù qù chīfàn .

8）越～ , 越～。（～すればするほど、～だ）

越看，越好看。　Yuè kàn, yuè hǎokàn .

9）既然～（了）, 就～。（～であるからには、～）

既然你喜欢，就买吧。　Jìrán nǐ xǐhuan, jiù mǎi ba .

10）一边～，一边～。（～しながら、～する）

我爸爸一边看报，一边吃饭。　Wǒ bàba yìbiān kàn bào, yìbiān chīfàn .

I、日本語に訳してみよう。

①虽然日本也用汉字，但是发音跟中国的不一样。
Suīrán Rìběn yě yòng Hànzì, dànshì fāyīn gēn Zhōngguó de bù yíyàng.

②我们先去东京，然后去北海道。
Wǒmen xiān qù Dōngjīng, ránhòu qù Běihǎidào.

③他不但会说英语，而且会说法语。
Tā búdàn huì shuō Yīngyǔ, érqiě huì shuō Fǎyǔ.

④一到春天，花就开。
Yí dào chūntiān, huā jiù kāi.

⑤他不是中国人，就是韩国人。
Tā bú shì Zhōngguórén, jiùshì Hánguórén.

⑥既然你不想去，就不要去了。
Jìrán nǐ bù xiǎng qù, jiù bú yào qù le.

⑦你越想知道，他越不告诉你。
Nǐ yuè xiǎng zhīdao, tā yuè bú gàosu nǐ.

⑧因为有点儿不舒服，所以我不想去。
Yīnwèi yǒudiǎnr bù shūfu, suǒyǐ wǒ bù xiǎng qù.

⑨要是明天下雨，就别去了。
Yàoshi míngtiān xià yǔ, jiù bié qù le.

⑩我妈妈一边听音乐，一边做饭。
Wǒ māma yìbiān tīng yīnyuè, yìbiān zuò fàn.

II、(　) に適当な語を入れ、中国語を完成させよう。
また、全文をピンインで書いてみよう。

①彼はドイツ語が話せるだけではなく、スペイン語も話せる。
他（　　）会说德语，（　　）会说西班牙语。

②そんなにそれが好きなら、君にあげるよ。
（　　）你那么喜欢它，（　　）送给你吧。

③私が頑張って勉強すればするほど、母は喜ぶ。
我（　　）努力学习，妈妈（　　）高兴。

④明日雪が降ったら、私は出かけない。
（　　）明天下雪，我（　　）不出门。

⑤少し疲れたので、私は寝たい。
（　　）有点儿累，（　　）我想睡觉。

⑥北京ダックはとてもおいしいけれど、値段がわりと高い。
北京烤鸭（　　）很好吃，（　　）价格比较贵。

⑦私たちは外で食事をしてから家に帰りましょう。
我们（　　）在外面吃饭，（　　）再回家吧。

⑧彼女は高校生か大学生かのどちらかだ。
她（　　）高中生，（　　）大学生。

⑨午後になると睡魔に襲われる。
（　　）到下午，（　　）犯困。

⑩私の兄はゲームをしながら電話している。
我哥哥（　　）玩游戏，（　　）打电话。

III、日本語を参考に、{ } 内の語句を並び替えて中国語を完成させよう。
なお、適当な句読点を補おう。

①私たちはまず映画を観に行って、それからショッピングに行きましょう。
{ 我们 去 吧 去 电影 东西 买 看 先 然后 }

②彼は歌が歌えるだけでなく、踊りも踊れる。
{ 不但 他 唱歌 会 跳舞 而且 会 }

③もし明日雨が降らなければ、万里の長城を登りに行きましょう。
{ 不 长城 下雨 去 如果 我们 就 吧 明天 爬 }

④日本語を勉強したいので、私は日本に留学に行きたい。
{ 想 去 学 日语 因为 所以 日本 我 留学 想 }

⑤来たからには、お茶でも飲んでいってください。
{ 来 喝 再 吧 杯 茶 既然 了 就 走 }

⑥あなたは家に帰ったらすぐに手を洗うべきだ。
{ 应该 手 你 回 一 家 洗 到 就 }

⑦寒ければ寒いほど、私は外出したくない。
{ 不 冷 越 越 天气 我 想 出门 }

⑧私は食後にコーヒーを飲むか、緑茶を飲むかのどちらかだ。
{ 不 绿茶 我 咖啡 就是 是 喝 喝 吃饭 后 }

⑨仕事は忙しいが、充実している。
{ 忙 充实 工作 很 虽然 但是 很 }

⑩妹はテレビを見ながら勉強している。
{ 我 电视 看 一边 一边 做 作业 妹妹 }

IV、{ } 内の与えられた単語を使って中国語に訳してみよう。

①もし眠かったら、コーヒーを飲んでください。
{ 要是 就 }

②彼がそうだと言っているからには、我々は彼を信じよう。
{ 既然 就 }

③彼は毎日仕事をしているか勉強しているかのどちらかだ。
{ 不是 就是 }

④このケーキは見た目はよくないが、とてもおいしい。
{ 虽然 但是 }

⑤私は家に着くとすぐに寝てしまった。
{ 一 就 }

⑥彼はフランス語が好きなだけではなく、ドイツ語も好きだ。
{ 不但 而且 }

⑦まず手を洗って、それから食べなさい。
{ 先 然后 }

⑧あなたが焦れば焦るほど、状況は悪化する。
{ 越 越 }

⑨私は毎日運動をしているので、とても健康です。
{ 因为 所以 }

⑩弟は歌を歌いながら運動をしている。
{ 一边 一边 }

V、中国語に訳してみよう。

①学生であるからには、ちゃんと勉強しなければならない。

②弟は家に帰ってきたとたんに遊びに出かけた。

③あなたが嘘をつけばつくほど、他人はあなたを信じなくなる。

④この料理はとてもおいしいけど、やや高い。

⑤あなたは今晩お酒を飲むのなら、車を運転してはいけません。

⑥今私は中国語を勉強しているので、とても中国に行きたいです。

⑦私が見るに、あなたは医者か弁護士かのどちらかだ。

⑧彼は毎日フランス語を勉強するだけではなく、ドイツ語も勉強している。

⑨私たちはまず図書館に行き、それから食堂に行って昼ごはんを食べましょう。

⑩私の姉は車の運転をしながら英会話の練習をしている。

文法トレーニング篇

課題

提出チェック

第１課：□ STEP５（　/　）

第２課：□ STEP５（　/　）

第３課：□ STEP５（　/　）

第４課：□ STEP５（　/　）

第５課：□ STEP５（　/　）

第６課：□ STEP５（　/　）

第７課：□ STEP５（　/　）

第８課：□ STEP５（　/　）

第９課：□ STEP５（　/　）

第10課：□ STEP５（　/　）

第11課：□ STEP５（　/　）

チェック！

https://hirogaru.net/

1 STEP V 学生番号 氏 名 提出日 /

V、中国語に訳してみよう。

①	
②	
③	
④	
⑤	
⑥	
⑦	
⑧	
⑨	
⑩	

2 STEP V

学生番号　　　　氏 名　　　　提出日　　/

V、中国語に訳してみよう。

①	
②	
③	
④	
⑤	
⑥	
⑦	
⑧	
⑨	
⑩	

V、中国語に訳してみよう。

①	
②	
③	
④	
⑤	
⑥	
⑦	
⑧	
⑨	
⑩	

4 STEP V　学生番号　　　　氏 名　　　　提出日　　/

V、中国語に訳してみよう。

①	
②	
③	
④	
⑤	
⑥	
⑦	
⑧	
⑨	
⑩	

5 STEP V 学生番号 氏 名 提出日 /

V、中国語に訳してみよう。

①	
②	
③	
④	
⑤	
⑥	
⑦	
⑧	
⑨	
⑩	

6 STEP V 学生番号 氏 名 提出日 /

V、中国語に訳してみよう。

①	
②	
③	
④	
⑤	
⑥	
⑦	
⑧	
⑨	
⑩	

学生番号　　　　氏 名　　　　提出日　　/

V、中国語に訳してみよう。

①	
②	
③	
④	
⑤	
⑥	
⑦	
⑧	
⑨	
⑩	

学生番号　　　氏 名　　　提出日　　/

V、中国語に訳してみよう。

①	
②	
③	
④	
⑤	
⑥	
⑦	
⑧	
⑨	
⑩	

9 STEP V　学生番号　　　　氏 名　　　　提出日　/

V、中国語に訳してみよう。

①	
②	
③	
④	
⑤	
⑥	
⑦	
⑧	
⑨	
⑩	

10 STEP V　学生番号　　氏 名　　提出日　　/

V、中国語に訳してみよう。

①	
②	
③	
④	
⑤	
⑥	
⑦	
⑧	
⑨	
⑩	

11 STEP V 学生番号 氏 名 提出日 /

V、中国語に訳してみよう。

①	
②	
③	
④	
⑤	
⑥	
⑦	
⑧	
⑨	
⑩	

著者紹介

木村　守 (Mùcūn Shǒu)　● 東京学芸大学 教授

范　文玲 (Fàn Wénlíng)　● 東京学芸大学 准教授

編集協力

盧　尤 (Lú Yóu)　● 東京学芸大学 講師

ひろがる中国語　文法トレーニング篇

2019 年 3 月 31 日　初版発行
2021 年 3 月 31 日　改訂版第1刷発行
2024 年 4 月 1 日　改訂版第4刷発行

発行者／佐藤和幸
発行所／（株）白帝社
〒 171-0014 豊島区池袋 2-65-1
電話 03-3986-3271　FAX 03-3986-3272
https://www.hakuteisha.co.jp